D1358799

FANTAISIE EN PHOTOS

Un étranger dans les bois

Carl R. Sams II et Jean Stoick
Texte français d'Hélène Pilotto

Remerciements

Nous tenons à remercier : Carol Henson, « Docteur Livre », pour l'édition; Laura et Rob Sams, ainsi que Kim Williams, pour leurs suggestions; Glen Petersen, Tony Beaverson et Bud Solem de Petersen Productions pour leur inspiration et leur captivante production vidéo; Dan Goodenow, Karen McDiarmid, Greg Dunn, Mark Hoppstock et Dave Atkinson de Precision Color pour leur excellent travail de préimpression.

Également, un merci particulier à : Brian DePoy, notre spécialiste Mac, pour les innombrables heures passées à assurer le bon fonctionnement de nos ordinateurs; son fils Brandon, qui a été merveilleusement patient dans la construction des bonshommes de neige; Sue Boyd, notre publicitaire, et Danny Boyd, pour leurs talents en vidéo et pour avoir partagé avec nous leurs idées à propos de ce livre; leur fille Nancy, l'experte en pose de nez en carotte sur les bonshommes de neige.

Catalogage avant publication de Bibliothèque et Archives Canada

Sams, Carl R.

Un étranger dans les bois : fantaisie en photos / Carl R. Sams et Jean Stoick; texte français d'Hélène Pilotto.

Traduction de : Stranger in the woods.

ISBN 0-439-94814-2

1. Faune forestière--Romans, nouvelles, etc. pour la jeunesse.

2. Livres d'images pour enfants. I. Stoick, Jean II. Pilotto, Hélène

III. Titre.

PZ26.3.S295Et 2005 j813'.54 C2005-904289-3

Édition publiée par les Éditions Scholastic, 175 Hillmount Road, Markham (Ontario) L6C 1Z7, avec la permission de Carl R. Sams II Photography, Inc., 361 Whispering Pines, Milford, MI 48380, É.-U.

5 4 3 2 Imprimé au Canada 05 06 07 08

À tous ceux qui veillent
à la protection de lieux sauvages
et au bonhomme de neige qui vit
dans le cœur de chaque enfant

Les flocons de neige
se reposaient après avoir
follement dansé et tourbillonné
dans l'air vif de la nuit.

Chaque brindille de la forêt
était recouverte d'une nouvelle
couche de neige
d'un blanc scintillant.

Le jour se levait et se frayait doucement
un chemin à travers les bois,
étirant ses rayons de lumière avec lenteur
sur les clairières enneigées.

Les oiseaux
furent les premiers à le remarquer…

Un étranger dans les bois!

Du haut des grands chênes,
les geais bleus
sonnèrent l'alarme :
– Attention!
Attention!

Un étranger dans les bois!

– Entends-tu l'appel des geais?
demanda tout bas maman biche
à son faon.

– Oui, murmura-t-il.
J'écoute toujours les oiseaux,
le vent qui souffle dans les arbres,
le bruissement des feuilles
et tous les bruits de la forêt.

Un étranger dans les bois

– Où-hou-hou est-il?
Qui est dans les bois?
Où-hou-hou les geais l'ont-ils vu?
demanda le hibou curieux de tout.

– Serrrrait-ce lui?
roucoula la tourterelle triste.
Là, derrrrière le vieux pommier.
Suivez le sentier enneigé au-delà de l'étang
jusqu'à l'endroit où la clairrrrière commence.
C'est tout prrrrès… tout prrrrès d'ici!

– Qui est dans les bois?
Que fait-il ici?
Quand? Quand cet étranger est-il arrivé?
demanda le hibou curieux de tout.

– J'étais ici de bon matin,
bien avant la première lueur
du ciel de l'est,
dit le rat musqué en mâchonnant.
Aucun étranger n'est venu par ici.
Personne n'est passé près de mon étang.

– J'ai suivi le sentier enneigé
à la lumière de la lune d'hiver,
répondit le chevreuil.
Il n'était pas là cette nuit,
j'en suis sûr!

Les animaux traversèrent
la forêt couverte de neige
et arrivèrent près de la clairière.

La biche apeurée s'ébroua
et frappa le sol
de son sabot.

– Où est-il? dit-elle.
Où est-il?
Quelqu'un le voit?

– Oui! Moi, je le vois!
clama l'écureuil.
L'un de nous devrait s'approcher
et aller jeter
un coup d'œil!

– Qui va y aller?
Qui va aller voir?
demanda le hibou curieux de tout.

– Ne comptez pas sur moi,
avertit le porc-épic en postillonnant.
Je suis bien trop occupé à mâcher ces bois.

– Pas question que
je me porte volontaire!
renchérit le lapin poltron.
Dites, euh…
est-ce qu'il me surveille?

– Salut la compagnie-cui-cui!
C'est moi, la mésange.
Je prends la tête des opérations!
C'est parti-cui-cui!

– Je-je-je suis la plus petite
et je-je-je me déplace très vite.
C'est moi qui vais y aller!
En creusant un tunnel sous la neige,
là où moi seule peux passer…

…je-je-je vais m'approcher
en douce,
comme une souris!

– Laissez-moi faire!
Laissez-moi y aller!
proposa le faon.
Je suis capable.
J'en suis sûr!

– Je suis le plus fort et le plus grand,
dit le jeune chevreuil.
C'est moi qui irai le premier.

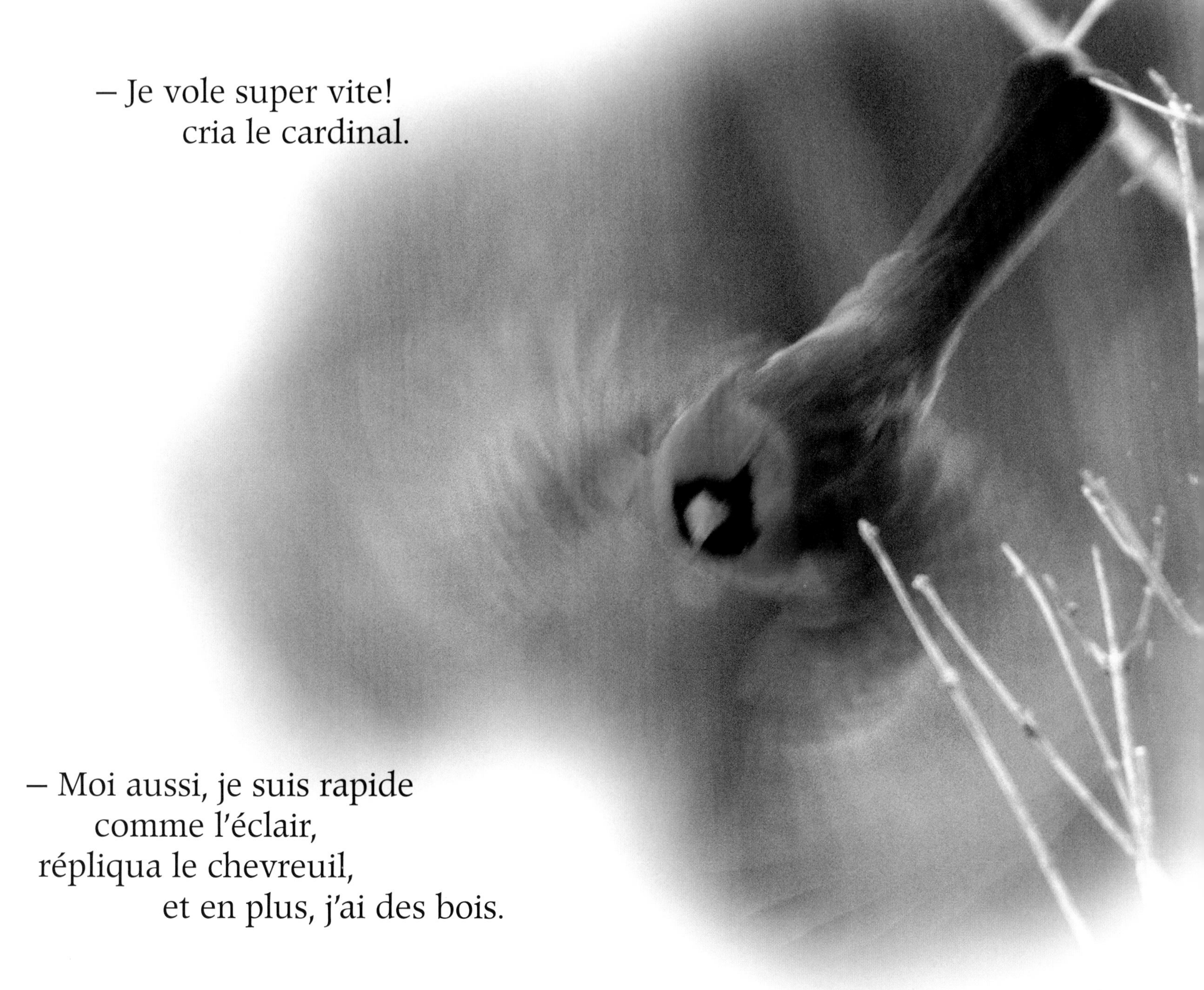

– Je vole super vite!
cria le cardinal.

– Moi aussi, je suis rapide
comme l'éclair,
répliqua le chevreuil,
et en plus, j'ai des bois.

– Peut-être, mais moi, je... je... je suis ROUGE!
lança le cardinal, ne trouvant rien
de mieux à répondre.

– Qu’est-ce que vous attendez? cria la mésange.

Moi, j'y suis-cui-cui!

– Pardi-cui-cui! s'exclama la mésange.
Il y a assez de noix et de graines
sur ce chapeau pour toute
la compagnie-cui-cui!
Cet étranger est plutôt gentil-cui-cui.
Venez voir!
Venez par ici-cui-cui!
Il y en a plein, mes amis-cui-cu

– Il y a à manger pour toi,
mais y a-t-il quelque chose pour moi?
questionna le chevreuil.
Tiens, mon flair me dit qu'il y a du maïs sous la neige.

– Ça doit bien se manger,
ce truc-là, dit la jeune biche
en s'approchant de l'étranger.

– Ma parole!
Une carotte!
Suis-je obligée de la partager?

– Qu'est-ce que c'est? s'interrogea le faon
en apercevant un drôle d'objet dans la neige.
Hum…
Y aurait-il plus d'un étranger dans les bois?

Quand il n'y eut plus de maïs à manger,
un à un, les animaux reprirent le sentier enneigé
et disparurent dans les bois.

La mésange s'empara de la dernière graine et s'envola.

Le bonhomme de neige resta seul…
mais pas pour longtemps.

– Ils ont tout mangé,
même le nez en carotte,
murmura la fillette en surgissant
de sa cachette derrière les conifères.

– Dépêchons-nous
de mettre d'autres graines
et d'autre maïs avant leur retour,
déclara son grand frère.
Les animaux ne devineront jamais
que nous étions ici.

– Combien de temps
les nourrirons-nous?
demanda
la fillette.

– Très, très longtemps, répondit son frère.
Jusqu'à ce que la neige ait disparu,
que le bonhomme ait fondu,
que les grenouilles commencent à coasser
et que les arbres aient de nouvelles feuilles.

Je pense que ce sont les carottes qu'ils préfèrent!

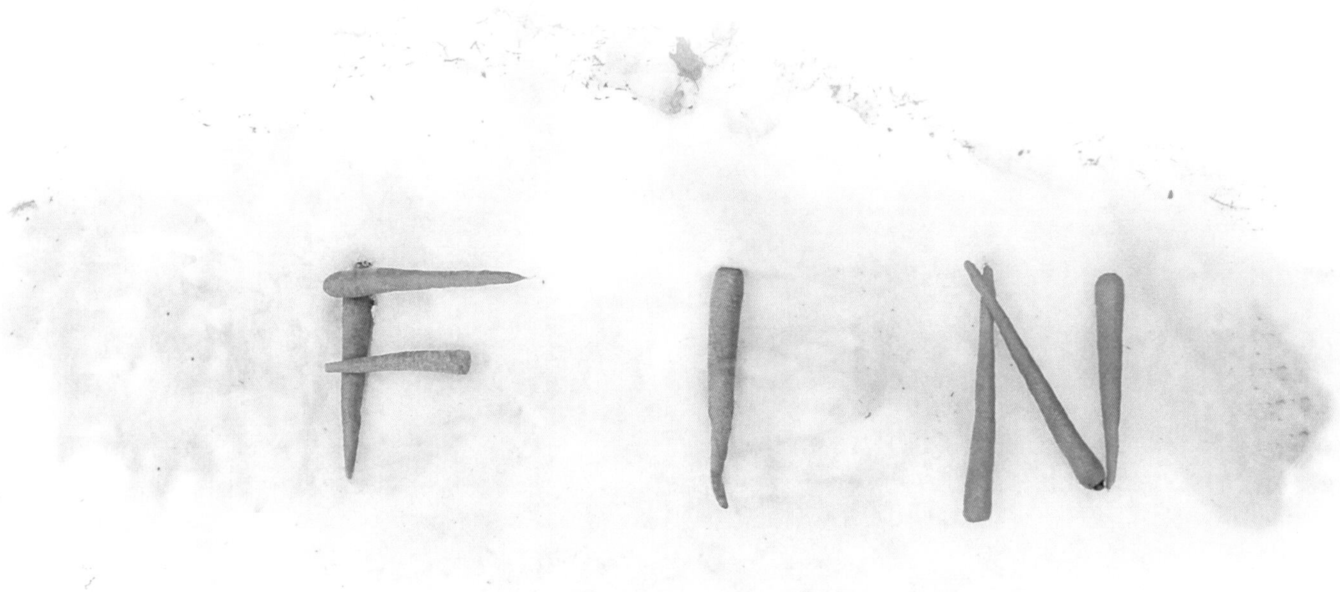

FIN

Recette de bonhomme de neige

Ingrédients :

- 1 généreuse portion de neige humide et collante
- 1 poignée de petites noix en écale
- 2 grosses noix
- 1 grosse carotte
- 2 vieux gants ou 2 vieilles mitaines
- 1 vieux chapeau
- 2 branches mortes
- 1 à 4 enfants chaudement vêtus
- 2 cuillerées d'imagination
- 1 pincée de bonne humeur

Vous pouvez ajouter n'importe lequel des ingrédients ci-dessous ou encore les substituer à ceux de la recette originale :

- une écharpe
- des cache-oreilles
- des lunettes de soleil
- des glands de chêne
- des pommes de pin

Donne une portion.
Se conserve plusieurs jours.

Préchauffez une journée d'hiver à 0 °C.

À l'aide de vos deux mains, formez une boule de neige compacte et déposez-la sur le sol. Faites rouler la boule sur le sol enneigé jusqu'à ce qu'elle ait amassé assez de neige pour mesurer environ 1 m de haut. Vous avez la base de votre bonhomme de neige.

Formez et roulez deux autres boules. La première fera environ 30 cm de diamètre, et la seconde, environ 60 cm. Déposez la seconde boule sur la base. Placez la petite boule sur la moyenne : c'est la tête de votre bonhomme.

Enfoncez les petites noix pour faire la bouche. Pour donner un air souriant à votre bonhomme, placez les noix formant les extrémités de la bouche plus haut que celles du centre. Pour le nez, enfoncez une carotte au-dessus de la bouche, bien au centre, le bout pointu vers l'extérieur (voir les photos). Placez les deux grosses noix au-dessus du nez pour faire les yeux.

Enfoncez les branches de chaque côté de la boule du milieu de façon à former les bras. Garnissez l'extrémité de chacune d'elles d'un gant ou d'une mitaine. Coiffez la tête du bonhomme d'un vieux chapeau et saupoudrez d'un grand éclat de rire. Engagez une petite bataille de boules de neige pour mettre de l'ambiance. Garnissez le chapeau de graines et répandez du maïs autour du bonhomme pour ajouter au plaisir.

AOUT 2
Date Due
OCT 1 0 2006
NOV 0 2 2006
NOV 1 0 2006
NOV 2 4 2006
JAN 2 6 2007
FEB 1 6 2007
MAY 27 2007
MAR 3 1 2008
MAR 1 1 2009
DEC 1 8 2009
DEC 0 6 2011
JAN 0 3 2012
FEB 1 1 2012
MAR 1 5 2012
APR 0 5 2012
REJETÉ / DISCARDED
BRODART, CO.
Cat. No. 23-233-003
Printed in U.S.A.
BIBLIOTHÈQUE
DE
DORVAL
LIBRARY